唐·柳公权神策军碑

中国书法名碑名帖原色放大本

胡紫桂 主编

CNS PUBLISHING & MEDIA
湖南美术出版社
全国百佳图书出版单位

图书在版编目（CIP）数据

唐·柳公权神策军碑 / 胡紫桂主编. — 长沙：湖南美术出版社，2015.10

（中国书法名碑名帖原色放大本）

ISBN 978-7-5356-7570-5

Ⅰ. ①唐… Ⅱ. ①胡… Ⅲ. ①楷书－碑帖－中国－唐代 Ⅳ. ①J292.24

中国版本图书馆CIP数据核字（2016）第021147号

Tang · Liu Gongquan Shencejun Bei

唐·柳公权神策军碑

（中国书法名碑名帖原色放大本）

出 版 人：黄 啸

主　　编：胡紫桂

副 主 编：邹方斌　陈　麟

编　　委：谢友国　倪丽华　齐　飞

责任编辑：邹方斌

装帧设计：造书房

版式设计：彭　莹

出版发行：湖南美术出版社

（长沙市东二环一段622号）

经　　销：全国新华书店

印　　刷：成都中嘉设计印务有限责任公司

（成都蛟龙工业港双流园区李渡路街道80号）

开　　本：889×1194　1/8

印　　张：6

版　　次：2015年10月第1版

印　　次：2019年10月第2次印刷

书　　号：ISBN 978-7-5356-7570-5

定　　价：42.00元

邮购联系：028-85939832　　邮编：610041

网　　址：http://www.scwj.net

电子邮箱：contact@scwj.net

如有倒装、破损、少页等印装质量问题，请与印刷厂联系斛换。

联系电话：028-85939809

柳公权（778—865），字诚悬，京兆华原（今陕西铜川市耀州区）人。柳公权29岁登进士科，又登博学宏词科。初仕秘书省校书郎，后入李听幕府。因善书被唐穆宗召为右拾遗，充翰林侍书学士。历仕七朝，官至太子少师，故世称『柳少师』。封河东郡公，以太子太保致仕。咸通六年（865）卒，享年88岁，赠太子太师。柳公权一生直言敢谏，深得朝野敬重。曾以笔为谏，谓『用笔在心，心正则笔正』。

柳公权之书，本于家学，出入于颜真卿，又得欧阳询之劲峭、虞世南之圆融、褚遂良之疏朗，创为新体，世称『柳体』。《旧唐书》称其书『体势劲媚，自成一家』。柳书在当时影响很大，『当时公卿大臣家碑板，不得公权手笔者，人以为不孝。外夷入贡，皆别署货贝，曰此购柳书』。其传世碑刻有《金刚经碑》《玄秘塔碑》《神策军碑》等。此外，柳公权还擅行草书，有《伏审帖》《十六日帖》《辱问帖》等帖传世，另有墨迹《蒙诏帖》《王献之送梨帖跋》。宋朱长文《续书断》断其书云：『公权博贯经术，正书及行，皆妙品之最，草不失能。盖其法出于颜，而加以遒劲丰润，自名一家……』

《神策军碑》，全称《皇帝巡幸左神策军纪圣德碑》，唐武宗会昌三年（843）立于皇宫禁地，原碑久佚。崔铉撰文，柳公权书。《神策军碑》是柳公权楷书代表作之一。此碑结体匀整，左紧右舒，重心偏高，法度极严。运笔方圆兼施，稳健沉着。宋岑宗旦《书评》云，柳书『如辕门列兵，森然环卫』，此作可见一斑。

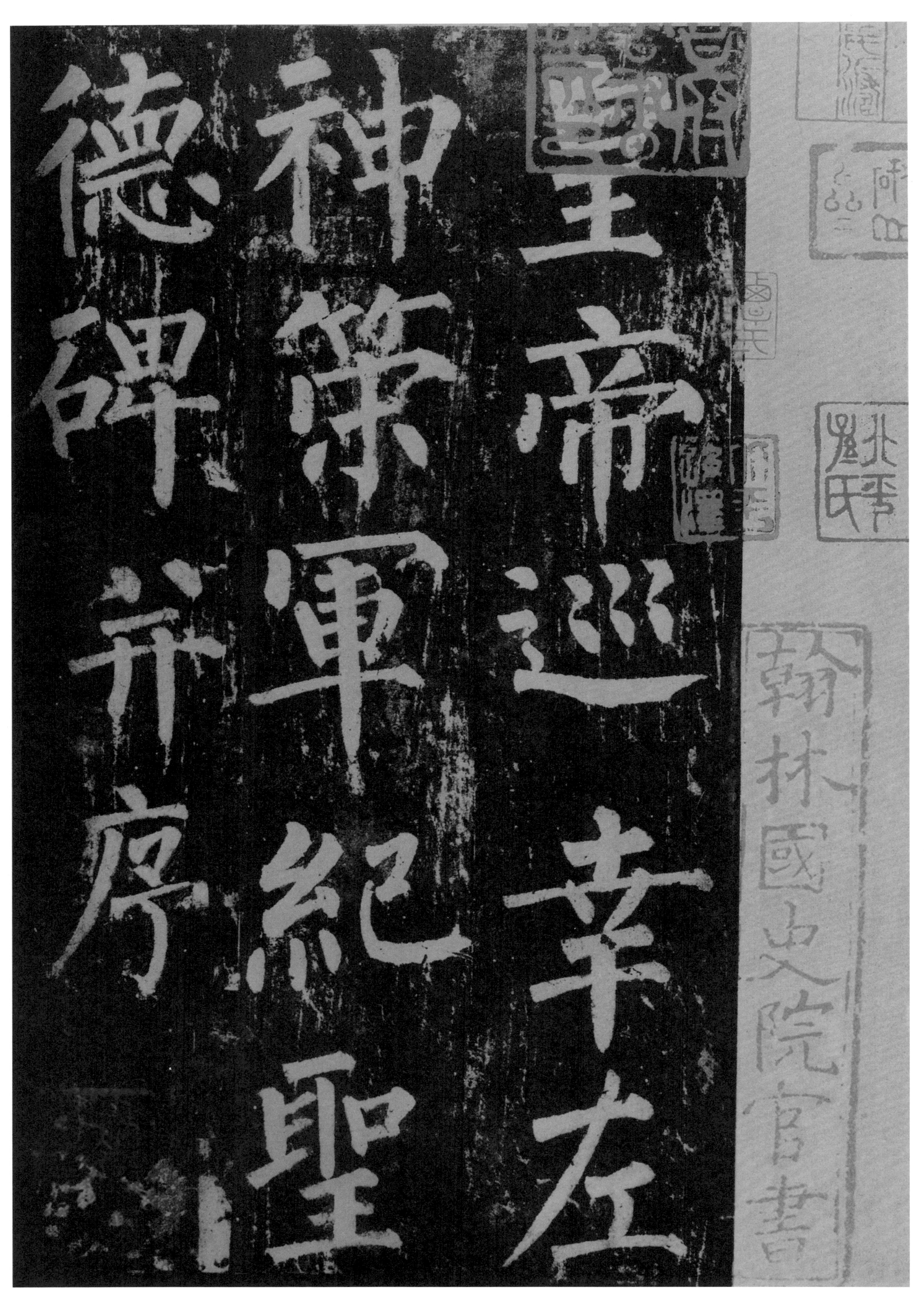

皇帝巡幸左神策军纪圣德碑并序。

翰林学士承旨、朝议郎、守尚书司封郎中、知制诰、上柱国、赐紫金

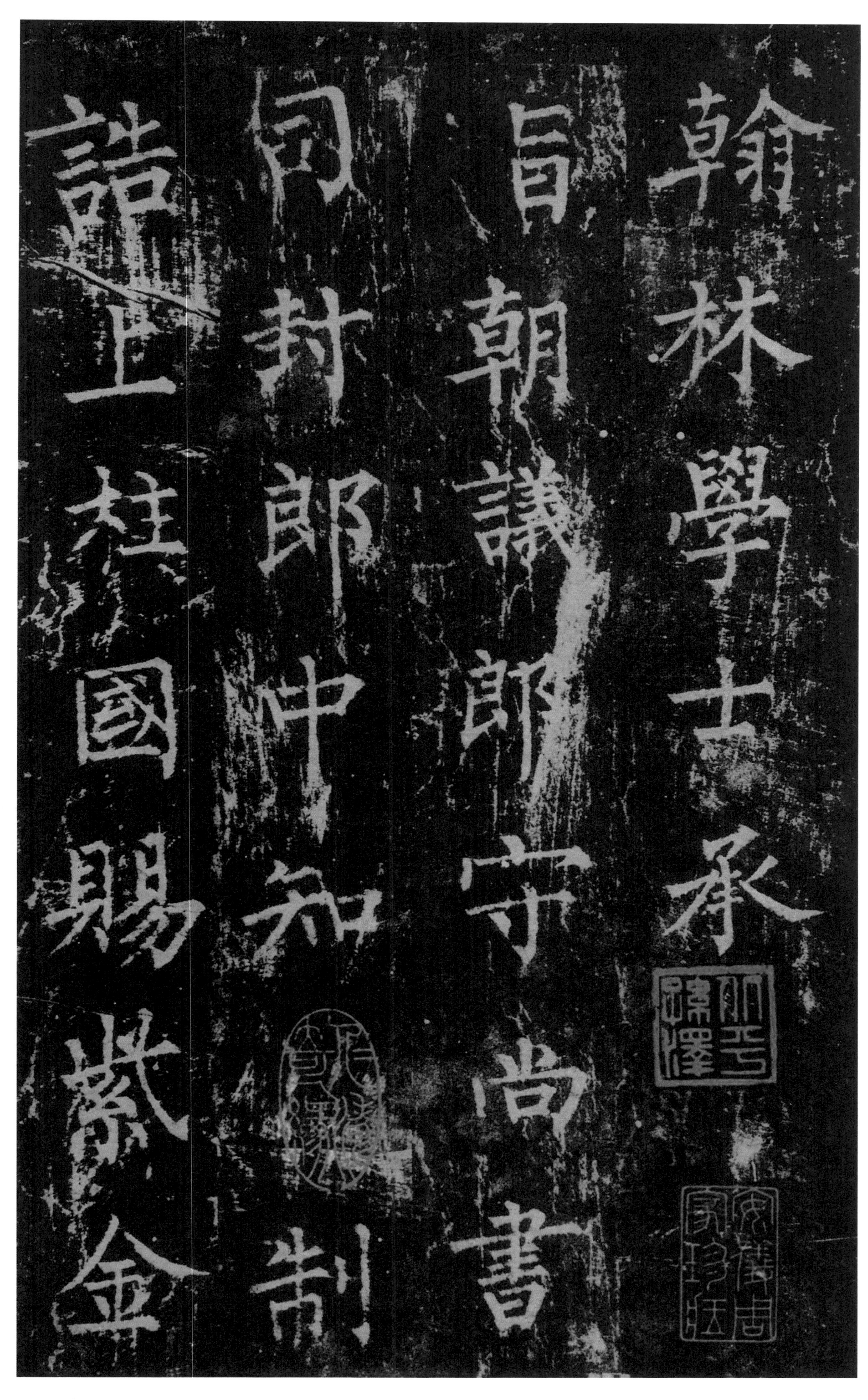

鱼袋，臣崔铉奉敕撰。正议大夫、守右散骑常侍、充集贤殿

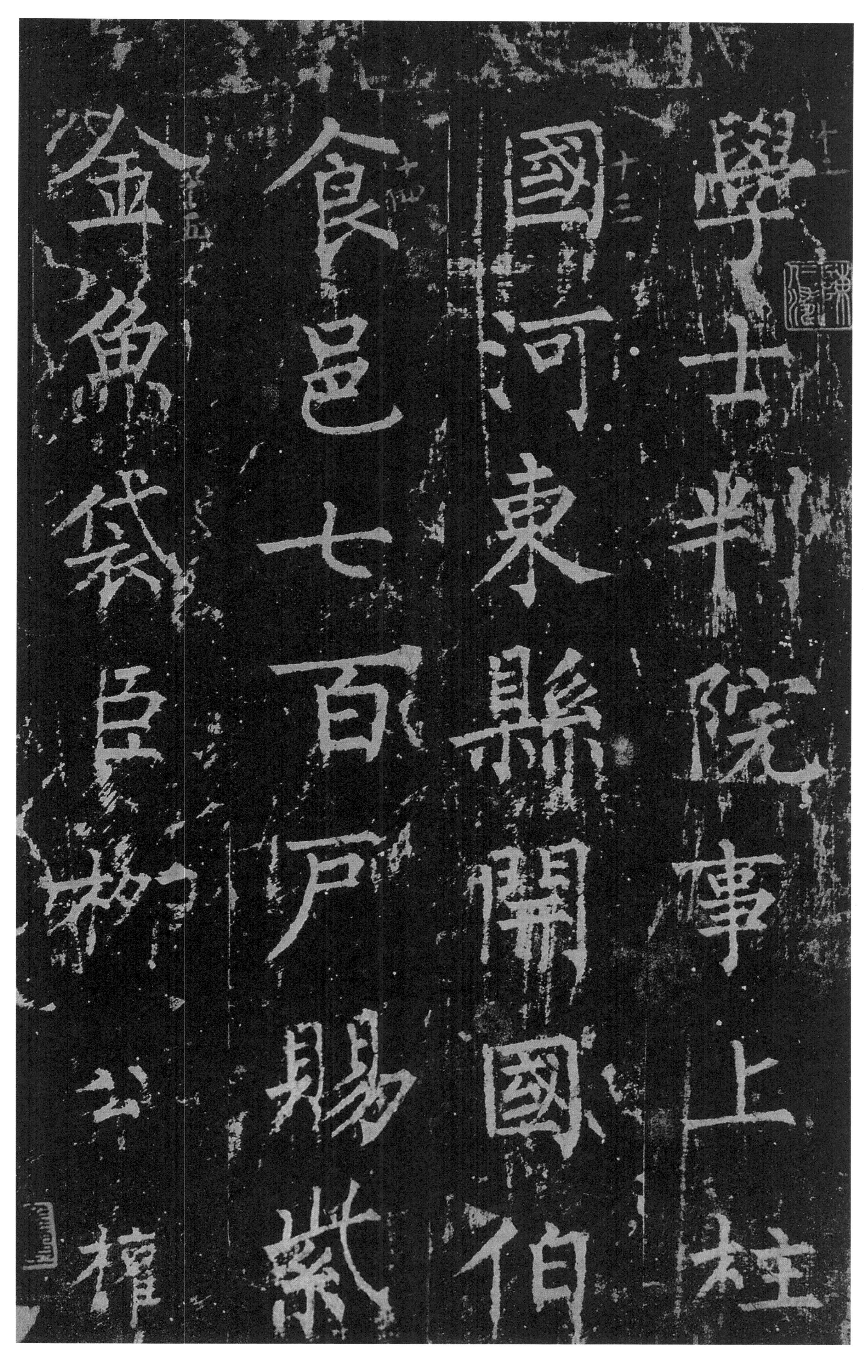

学士、判院事、上柱国、河东县开国伯、食邑七百户、赐紫金鱼袋，臣柳公权

奉敕书。集贤直院官、朝议郎、守衡州长史、上柱国，臣徐方平奉敕篆额。

我国家诞受天命，奄宅区夏，二百廿有余载；

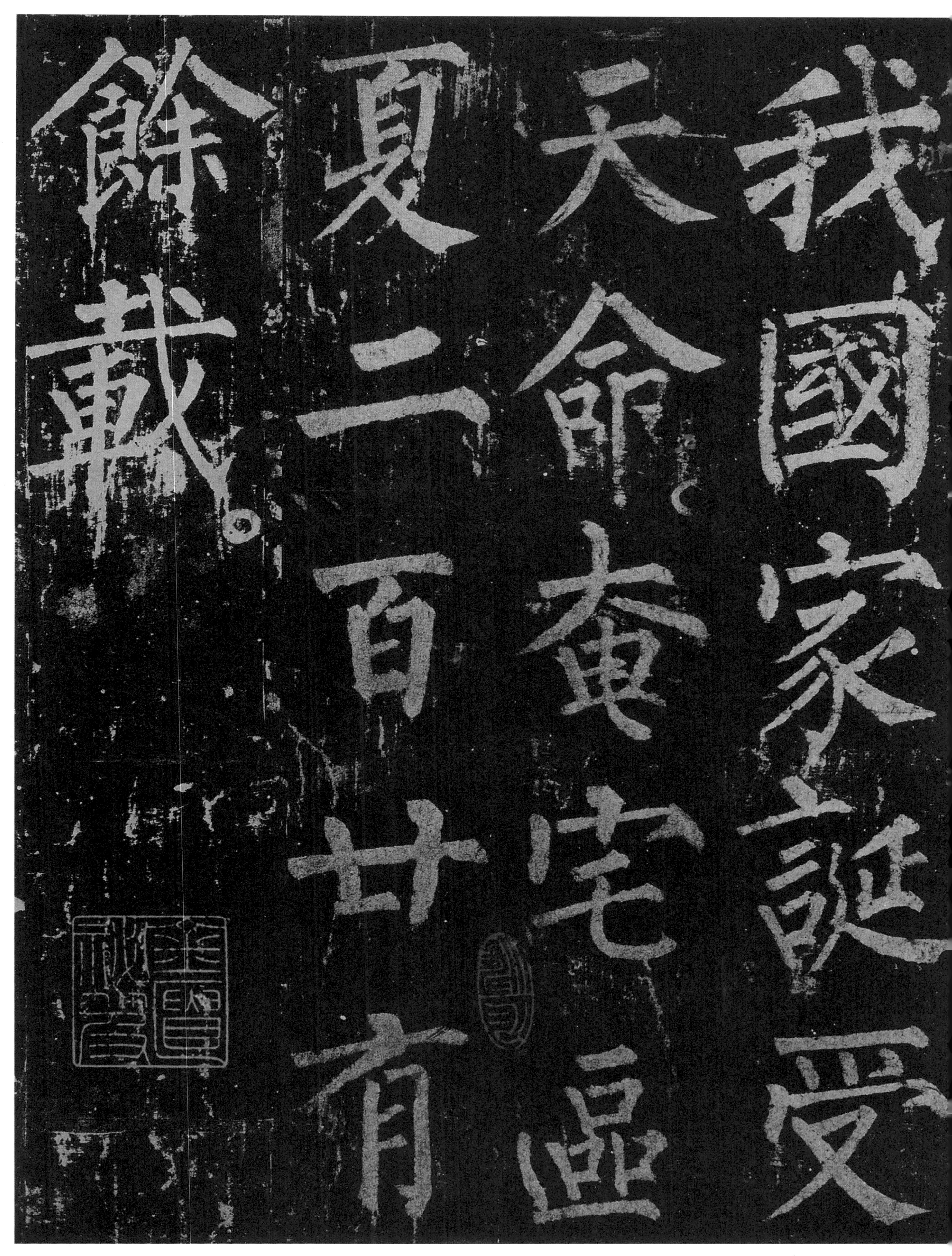

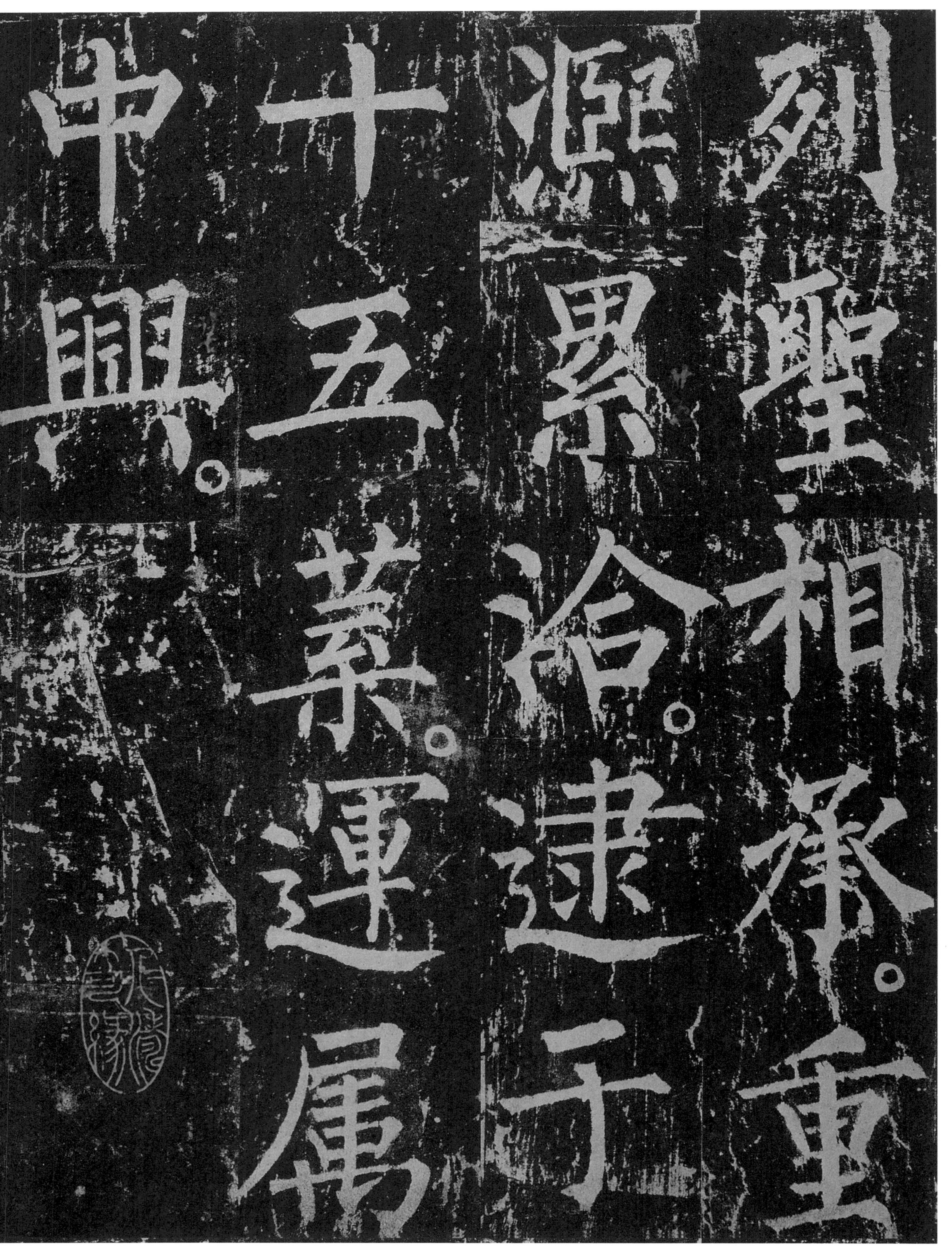

列圣相承，重熙累洽，逮于十五叶，运属中兴。

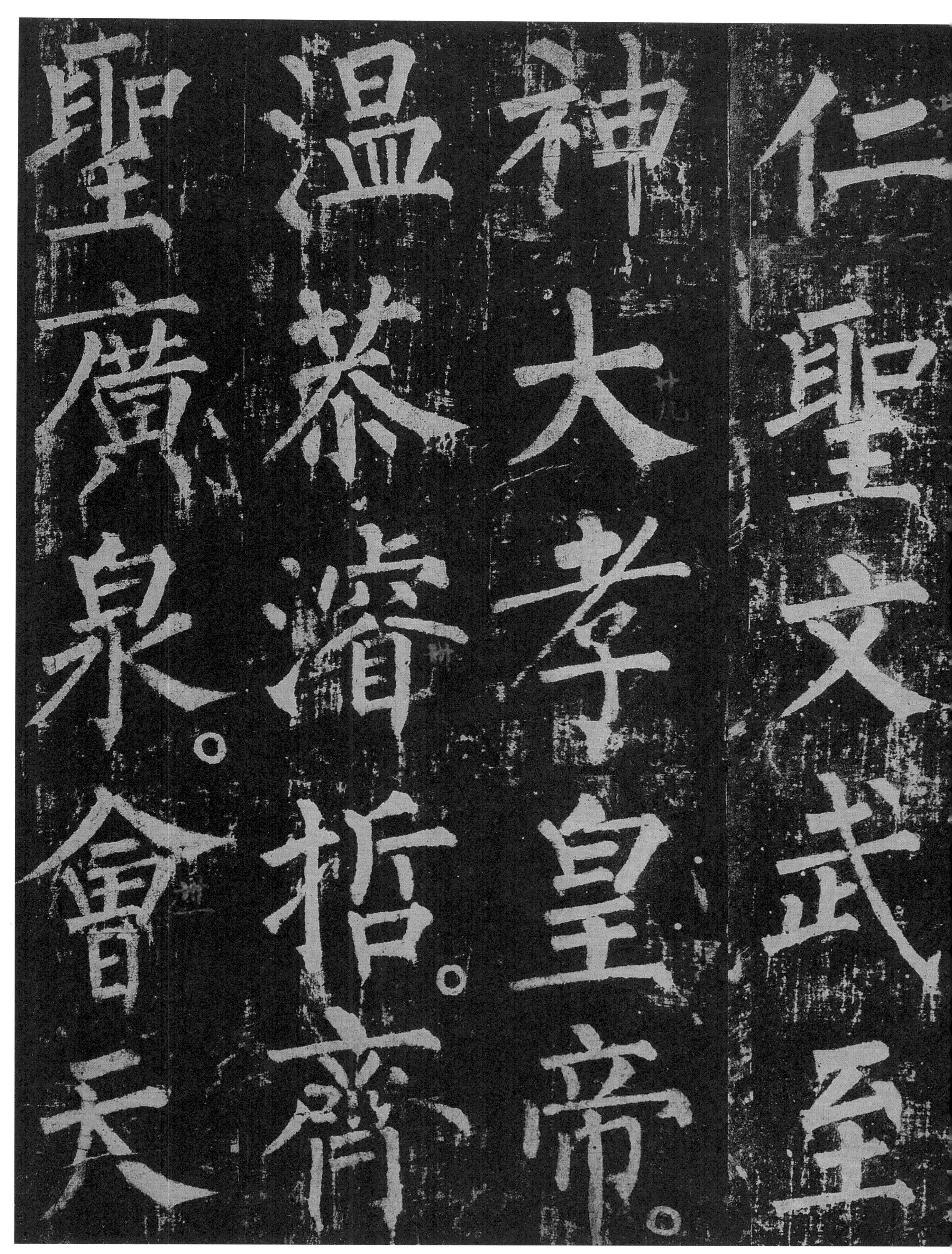

仁圣文武至神大孝皇帝，温恭濬哲，齐圣广泉。会天

地之昌期，集讴歌于颍邸。由至公而光符历试，逾五

让而绍登宝图。握金镜以调四时，抚璇玑而齐七

政。蛮貊率俾，神祇□怀。□□□初，惟新霈泽。昭苏品

汇，序劝贤能。祇畏劳谦，动遵法度。竭孝思于昭

配，尽哀敬于园陵。风雨小愆，虔心以申乎祈祷；虫

螟未息，辍食以轸乎黎元。发挥典□，兴起□□。敦□

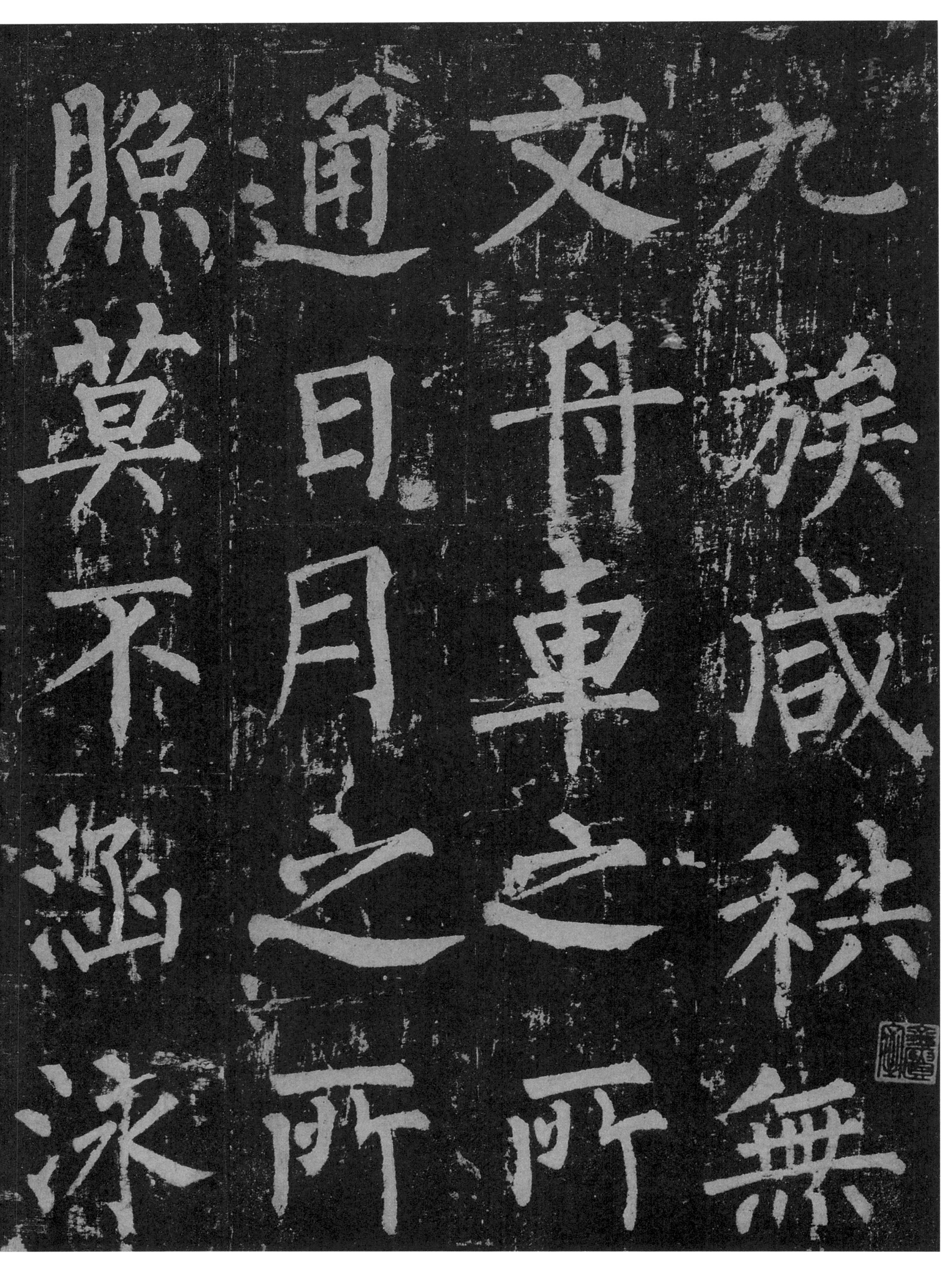

九族，咸秩无文。舟车之所通，日月之所照，莫不涵泳

至德，被沐皇风。欣欣然，陶陶然，不知其俗之臻于

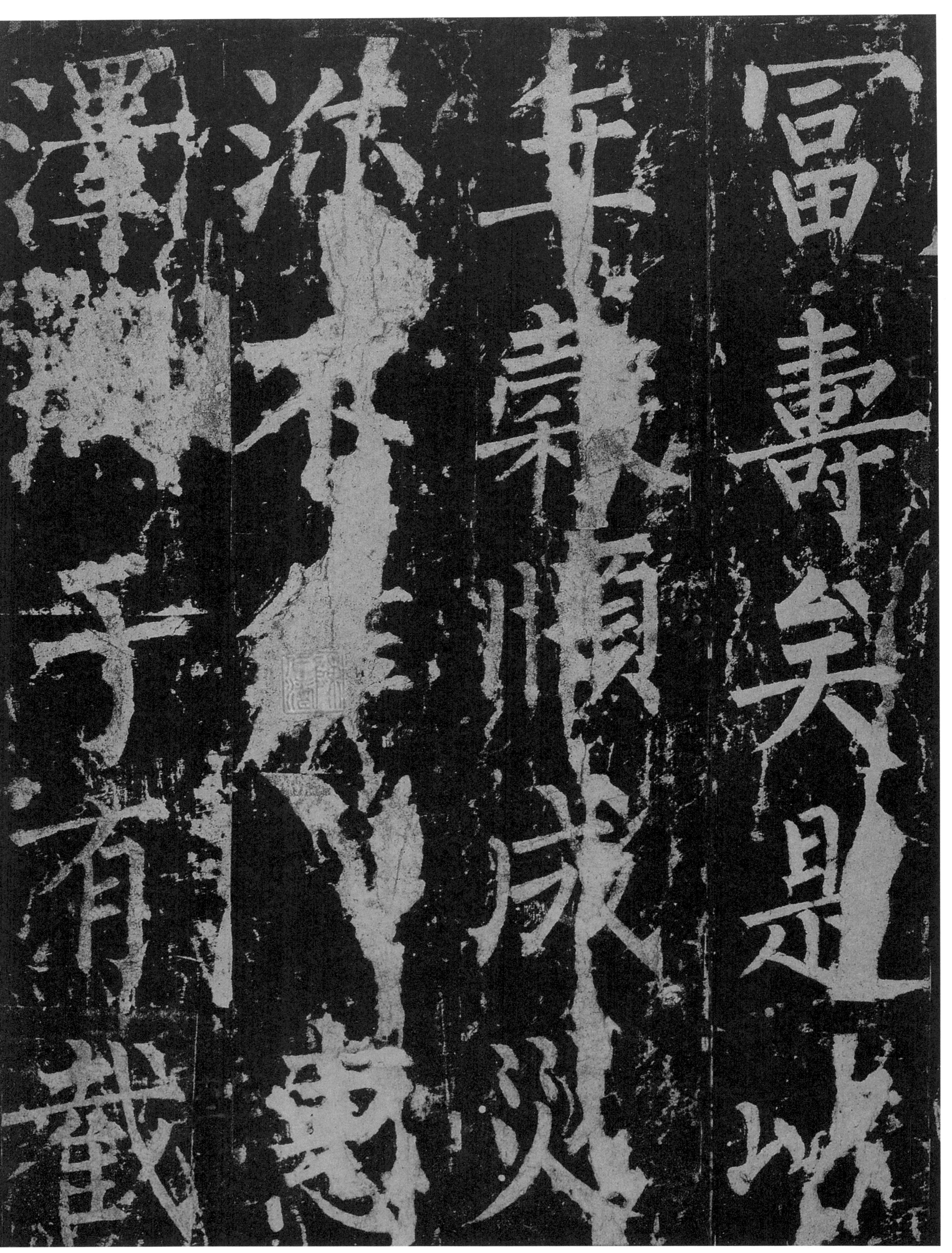

富寿矣。是以年谷顺成，灾沴不[作]。惠泽□于有截，

声教溢于无垠。粤以明年正月，享之玄元，谒清

庙，爰申报本之义，遂有事于圆丘。展帝容，备法驾，

组练云布，羽卫星陈。俨翠华之葳蕤，森朱干之格泽。

盥荐斋□，□拜恭寅。故得二仪垂休，百灵受职。有感

斯应，无幽不通。大辂鸣銮，则雪清禁道；泰坛紫燎，

则气雰寒郊。非烟氤氲，休征杂沓。既而六龙回銮，万

骑还宫。临端门，敷大号。行庆颁赏，宥罪录功。究刑

政之源，明教化之本。考臧口于群吏，问疾苦于蒸人。

绝兼并之流，修水旱之备。百辟兢庄以就位，万国奔

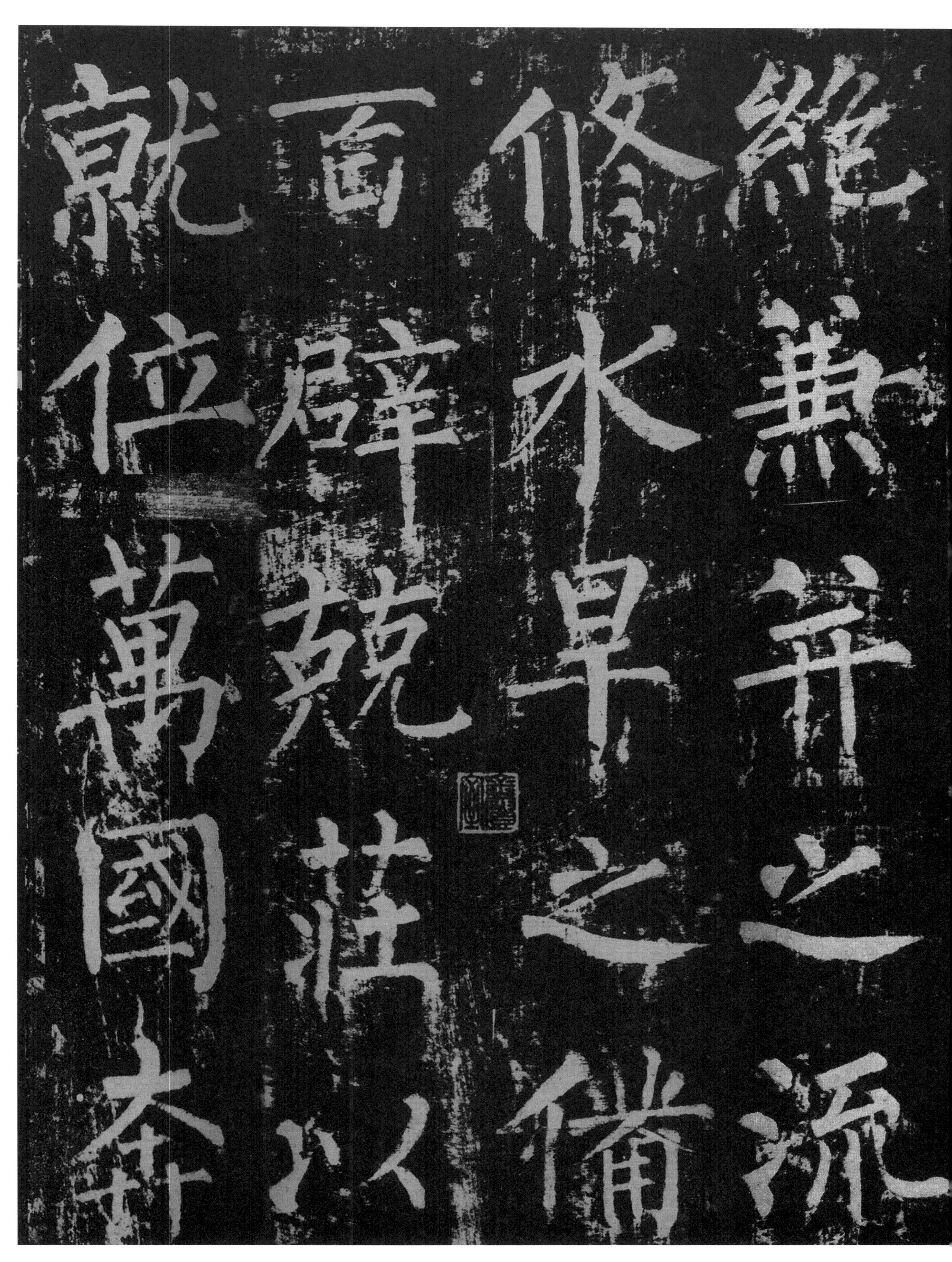

走而来庭。搢绅带鹖之伦，凤钗雅髻之俗，莫不解辫

蹶角，蹈德咏仁，抃舞康庄，尽以为遭逢尧年舜日矣。

皇帝惕然自思，退而谓群臣曰：『历观三五已降致理

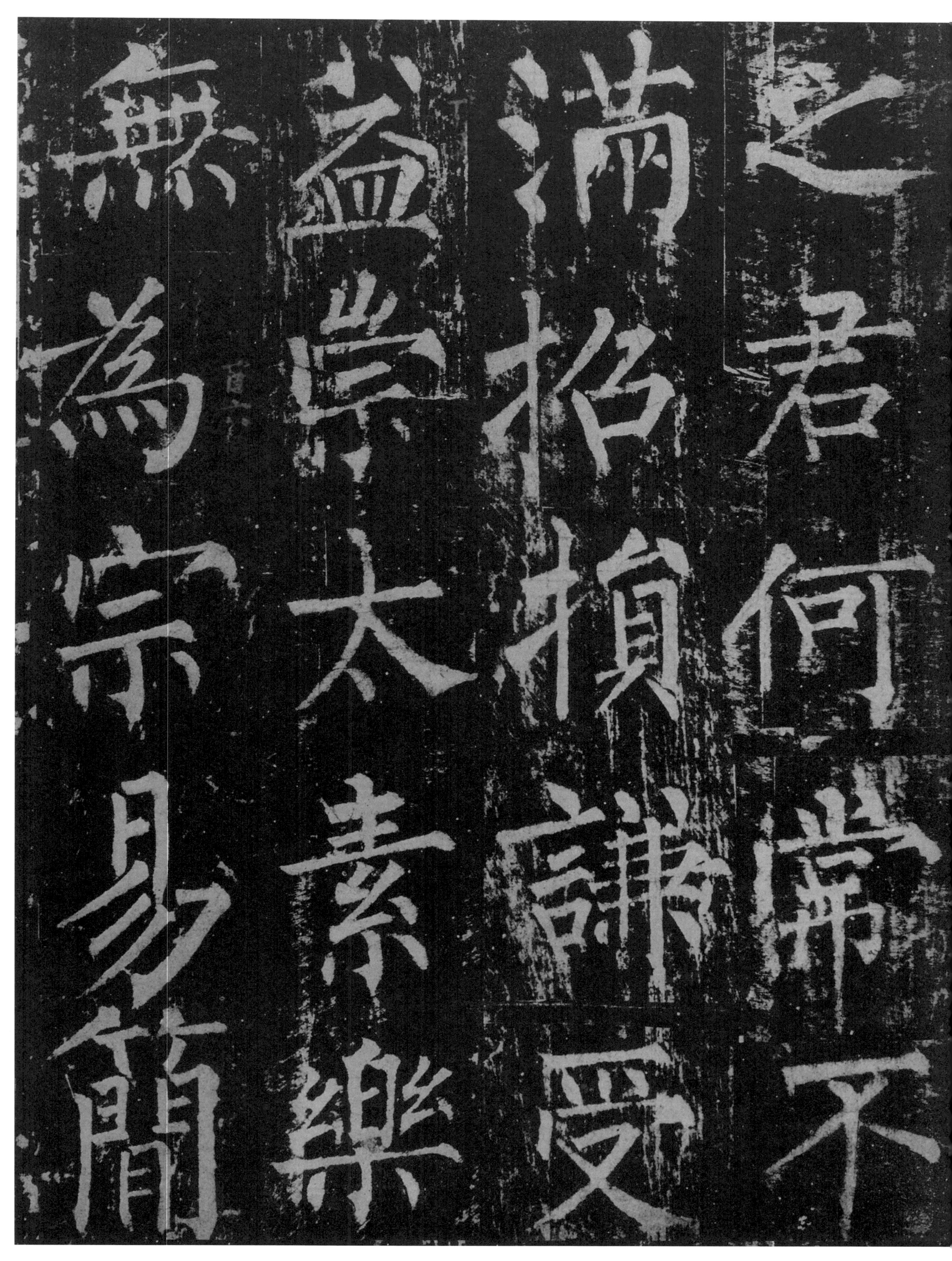

之君，何常不满招损，谦受益，崇太素，乐无为。宗易简

以临人，保慈俭以育物。土阶茅屋，则大之美是崇；抵

璧捐金，不□□□斯□。伏惟荷祖宗之丕构，属寰宇

之甫宁，思欲追踪太古之遐风，缅慕前……』词。或以为乘

其饥羸，宜事挞灭；或以为厚其□愿，用助归还。

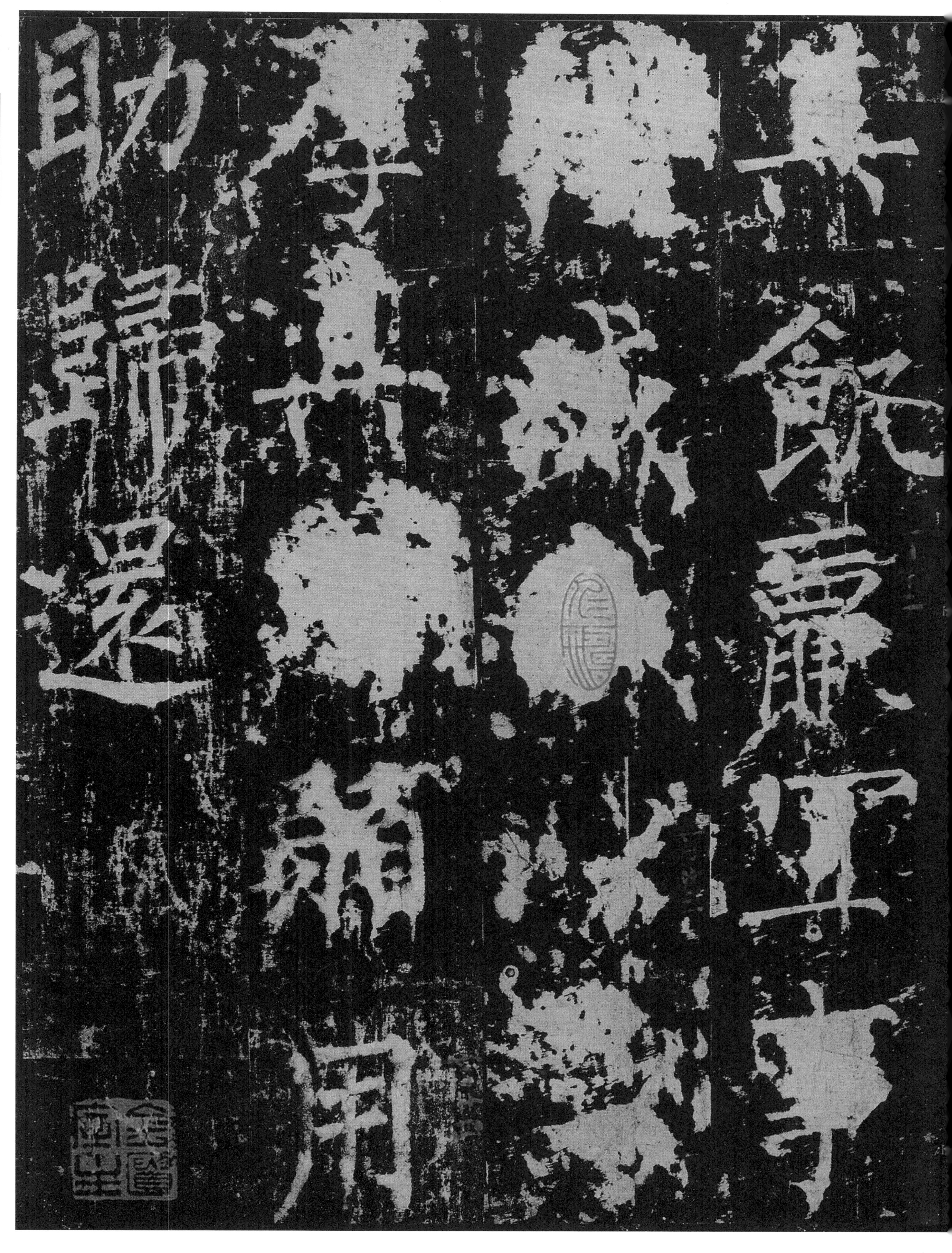

上曰：『回鹘尝有功于国家，勋藏王室，继以姻戚，臣

节不渝。今者穷而来依，甚足嗟悯，安可幸灾而失信

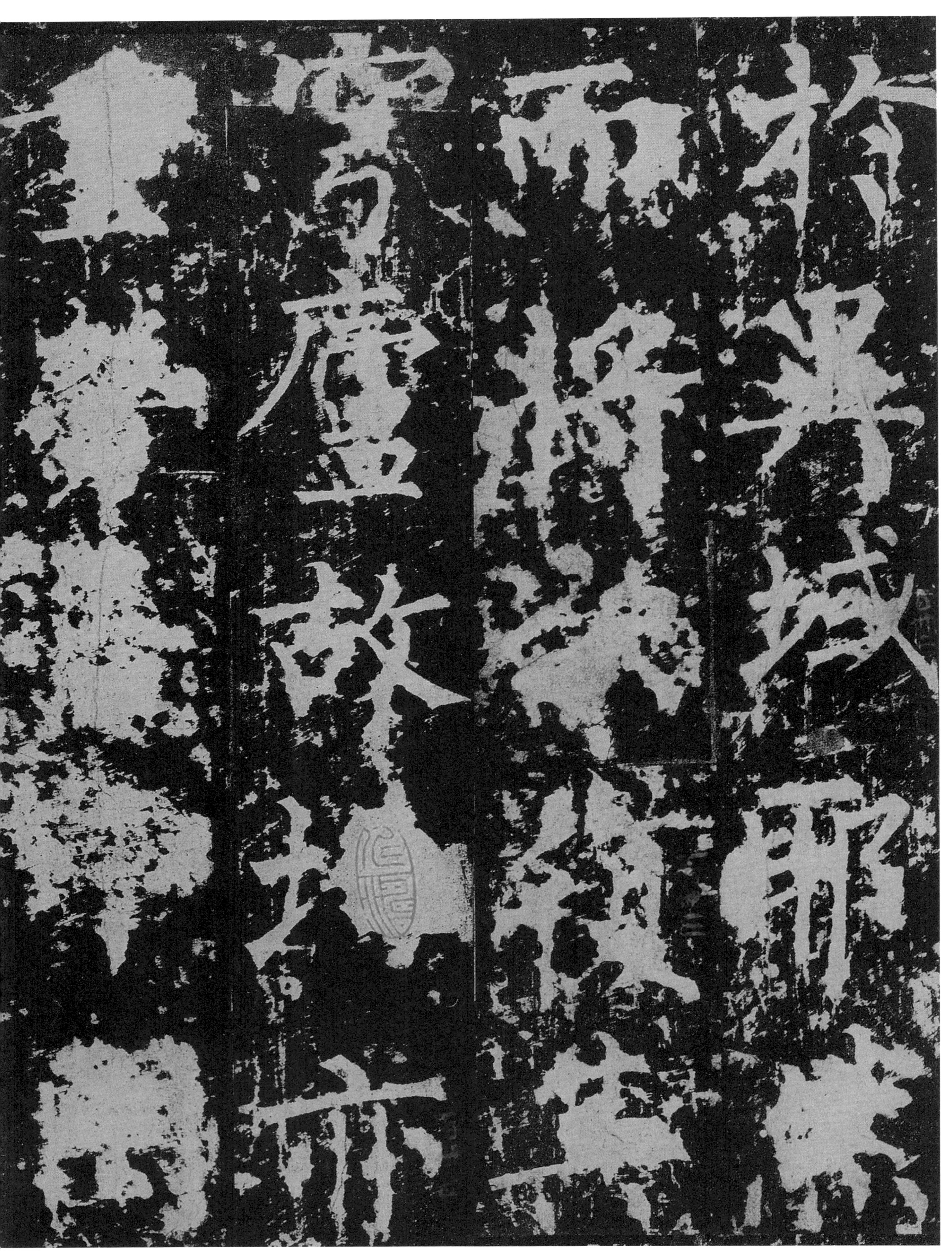

于异域耶？然而将欲复其穹庐，故□亦重劳□□□

之人，必在使其忘亡存乎兴灭。』乃与丞相密议，继遣

慰喻之使，申抚纳之情。颁粟帛以恤其困穷，示恩礼

以全其邻好。果有大特勤嗢没斯者，[死识忠贞]，生知

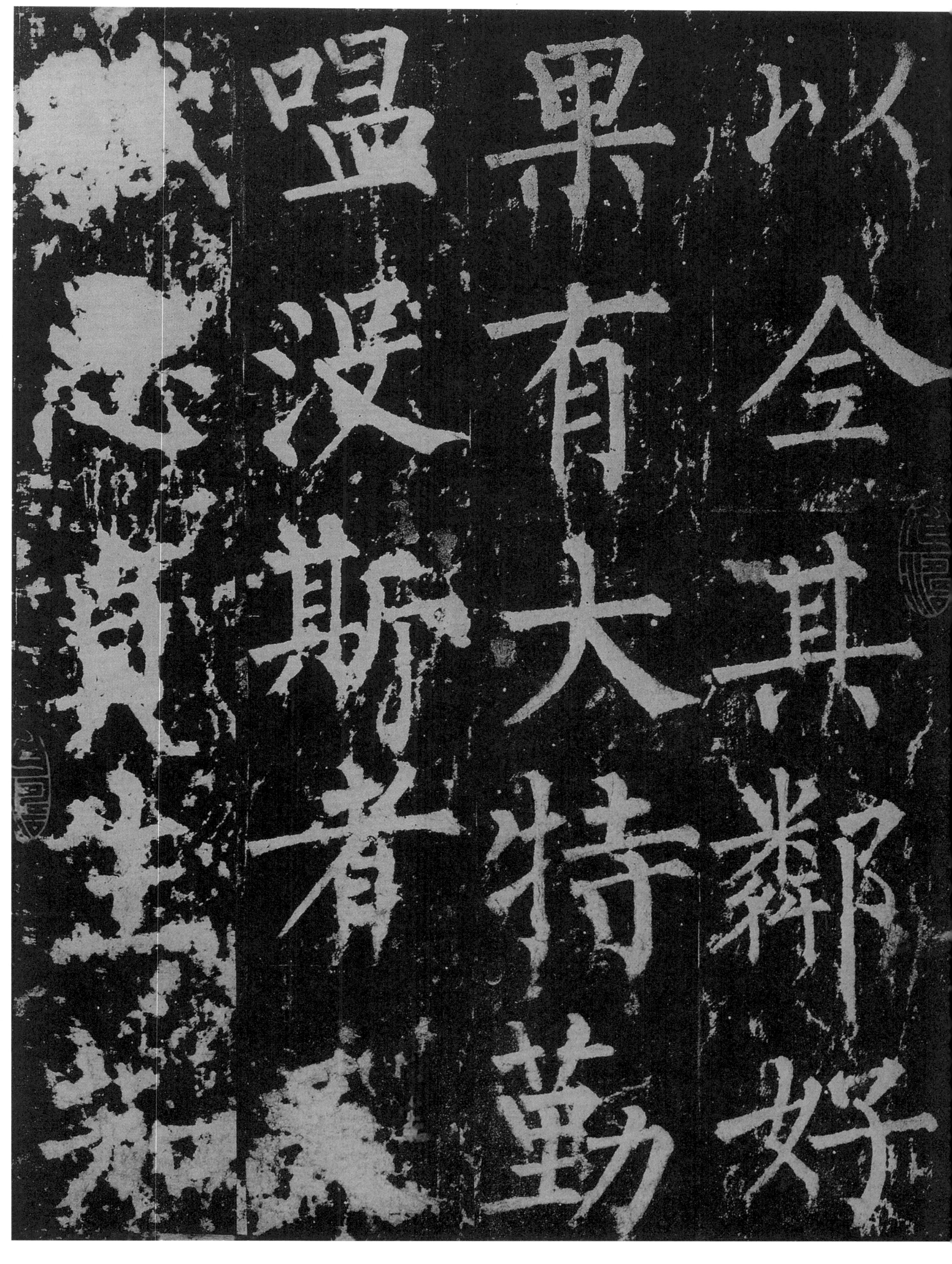

仁义。达逆顺之理，识祸福之道。荷忠义于鸿私，沥感

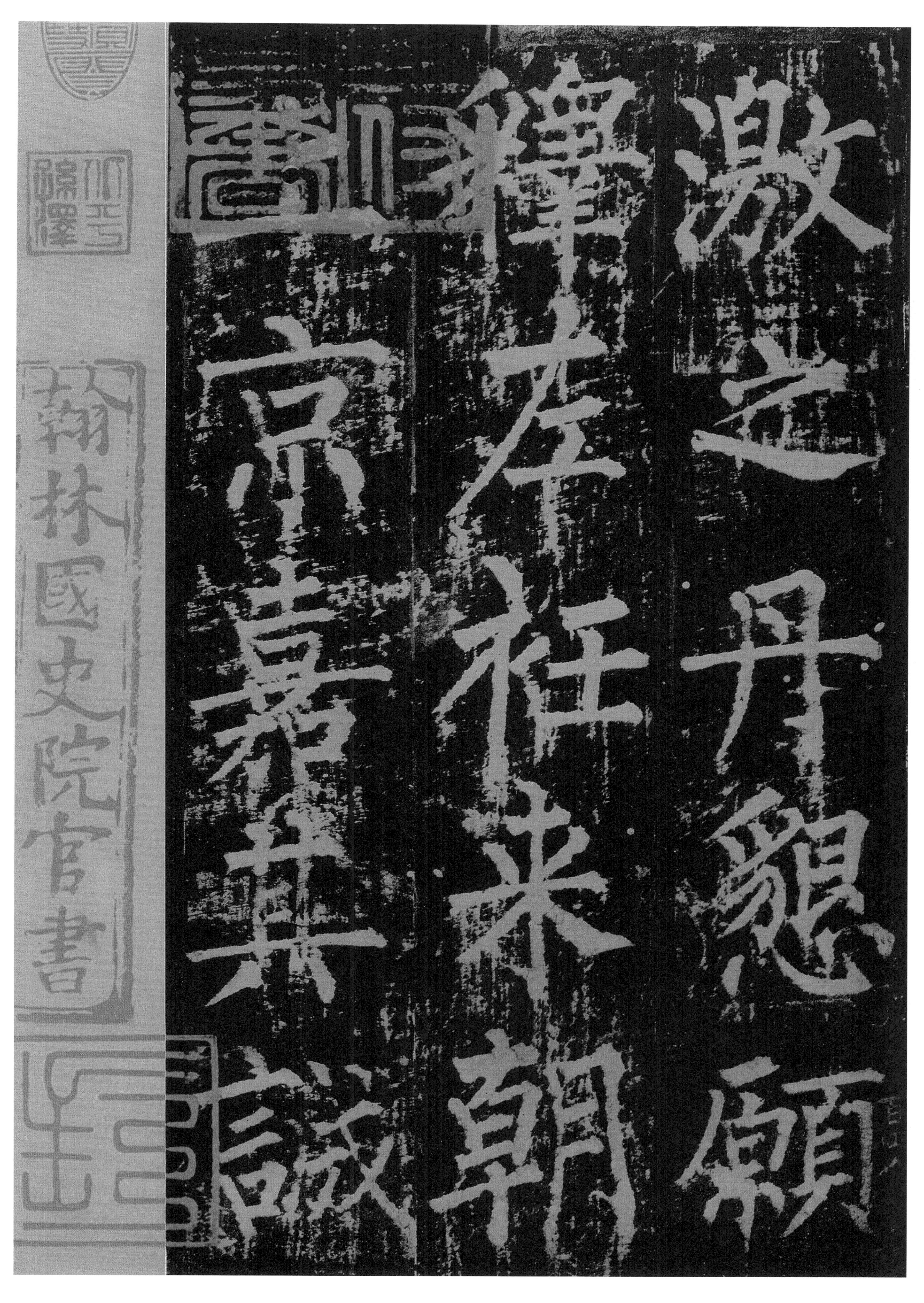

激之丹恳。愿释左衽，来朝上京。嘉其诚……